QUEL GÉNIE!

Pour tous les petits perfectionnistes du monde

Catalogage avant publication de Bibliothèque et Archives Canada

Spires, Ashley, 1978-
[Most magnificent thing. Français]
    Quel génie! / Ashley Spires ; texte français d'Isabelle Allard.

Traduction de: The most magnificent thing.
ISBN 978-1-4431-3465-1 (couverture souple)

    I. Allard, Isabelle, traducteur II. Titre. III. Titre: Most magnificent thing. Français

PS8637.P57M6814 2014   jC813'.6   C2013-907457-0

Les illustrations de ce livre ont été numérisées après beaucoup d'entraînement, deux crises de nerfs et une grosse colère.

Le texte a été composé avec les polices de caractères Bookeyed Nelson.
Conception graphique : Karen Powers

Édition publiée par les Éditions Scholastic, 604, rue King Ouest, Toronto (Ontario) M5V 1E1, avec la permission de Kids Can Press Ltd.

5 4 3 2 1   Imprimé en Chine CP130   14 15 16 17 18

Quel GÉNIE!

Ashley Spires

Texte français d'Isabelle Allard

Éditions
SCHOLASTIC

Voici une petite fille ordinaire et son meilleur ami au monde. Ils font toutes sortes de choses ensemble. Ils font la course. Ils mangent. Ils explorent. Ils se reposent.

Elle fait des choses.

Il les défait.

Un jour, la petite fille a une merveilleuse idée. Elle va fabriquer l'objet le plus GÉNIAL qui soit!

Elle sait à quoi cet objet ressemblera.

Elle sait comment il fonctionnera.

Elle n'a plus qu'à le fabriquer, et elle fabrique des choses tout le temps. Facile comme tout!

Tout d'abord, elle embauche un assistant.

Ensuite, ils rassemblent leur matériel.

Puis ils s'installent dans un coin tranquille et se mettent au travail.

La petite fille bricole, mesure et cogne...

tandis que son assistant bondit,
mâchonne et grogne.

Quand elle a fini, elle recule pour admirer son œuvre.
Elle observe un côté. Son assistant examine l'autre...
Quelque chose ne va pas. L'assistant prend l'objet et le secoue. Non, ça ne va pas du tout.

Étonnés, ils constatent que l'objet n'est pas génial.
Ni réussi. Ni même acceptable. C'est RATÉ.
La petite fille met l'objet de côté et fait un autre essai.

Elle lisse, resserre et fignole.

Son assistant tourne, mordille
et fait des cabrioles.

Quand elle a fini, elle se lève et contemple l'objet.
Son assistant le pousse de la patte.

C'est encore raté. Elle décide de réessayer.

Elle scie, colle et aplanit.

Elle jauge, observe et réfléchit.

Elle visse, attache et modifie.

Elle fixe, redresse et vérifie.

Elle tente d'améliorer l'objet de diverses façons.

Elle en fait un carré, un rond, un avec des pattes, un avec des antennes.

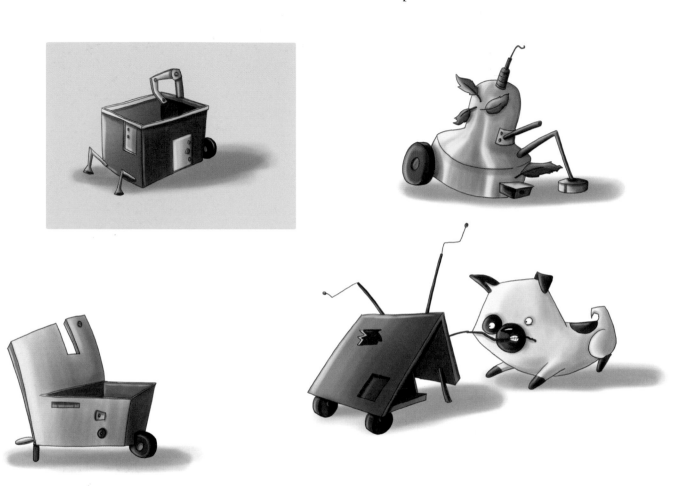

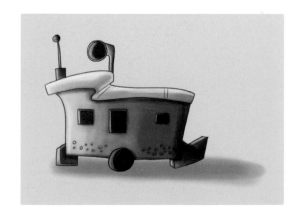

Elle en fait un poilu, puis un long, un court, un rugueux, un lisse, un gros, un petit...
Il y en a même un qui sent le fromage fort! Mais aucun n'est GÉNIAL!

Ses efforts attirent l'attention de quelques admirateurs, mais nul ne comprend vraiment ce qu'elle veut faire.
Ils ne voient pas l'objet GÉNIAL qu'elle a en tête.

La petite fille se FÂCHE.

Plus elle est fâchée, plus elle travaille vite. Elle ÉCRASE les pièces en mille morceaux.
Elle les FORCE à s'emboîter. Elle S'ACHARNE sur les bouts qui dépassent.

Ses mains sont trop GROSSES et son cerveau trop rempli d'objets ratés.

Si seulement ce truc... POUVAIT... FONCTIONNER!

La DOULEUR envahit son doigt.

Elle remonte jusqu'à son CERVEAU...

et la petite fille

EXPLOSE!

Ce n'est pas son heure de gloire.

Son assistant propose une promenade.

Au début, ça n'aide pas vraiment.

Mais bientôt,
elle se sent mieux.

Peu à peu, sa colère s'apaise.

Pendant sa promenade, elle passe devant tous
les objets ratés qu'elle a fabriqués.
Son sentiment d'échec menace de revenir.
Mais elle remarque alors une chose étonnante.

Certaines parties des créations RATÉES sont plutôt
RÉUSSIES. Les boulons de l'une, la forme de l'autre, ou
encore la proportion des roues et du siège de la troisième.
Il y a toutes sortes de détails qui lui plaisent!

Lorsqu'elle arrive au bout du trottoir, elle sait enfin comment réaliser son
objet GÉNIAL. Elle se met au travail. Avec soin, elle ajuste et fignole,
dévisse et rafistole, attache et recolle...
Son assistant veille à ce qu'elle ne soit pas dérangée.

L'après-midi fait place au soir. La petite fille a enfin terminé.
Elle avertit son assistant.

Tous deux examinent longuement le résultat.
Ça penche un peu à gauche et c'est un peu plus lourd que pr[...]
Il faudrait peut-être une nouvelle couche de peinture.
Mais c'est exactement ce qu'elle voulait!

Ils montent à bord et font un petit tour.
Ils ne sont pas déçus.
C'est vraiment L'OBJET le plus GÉNIAL qui soit!